小朋友想把新玩具放到架子上，每层应该放什么玩具？

这里有一些东西不是小朋友的玩具，请你找出来并涂上颜色。

1

这是一个配对的游戏，其中每两张卡片是一组，请将它们配成对。

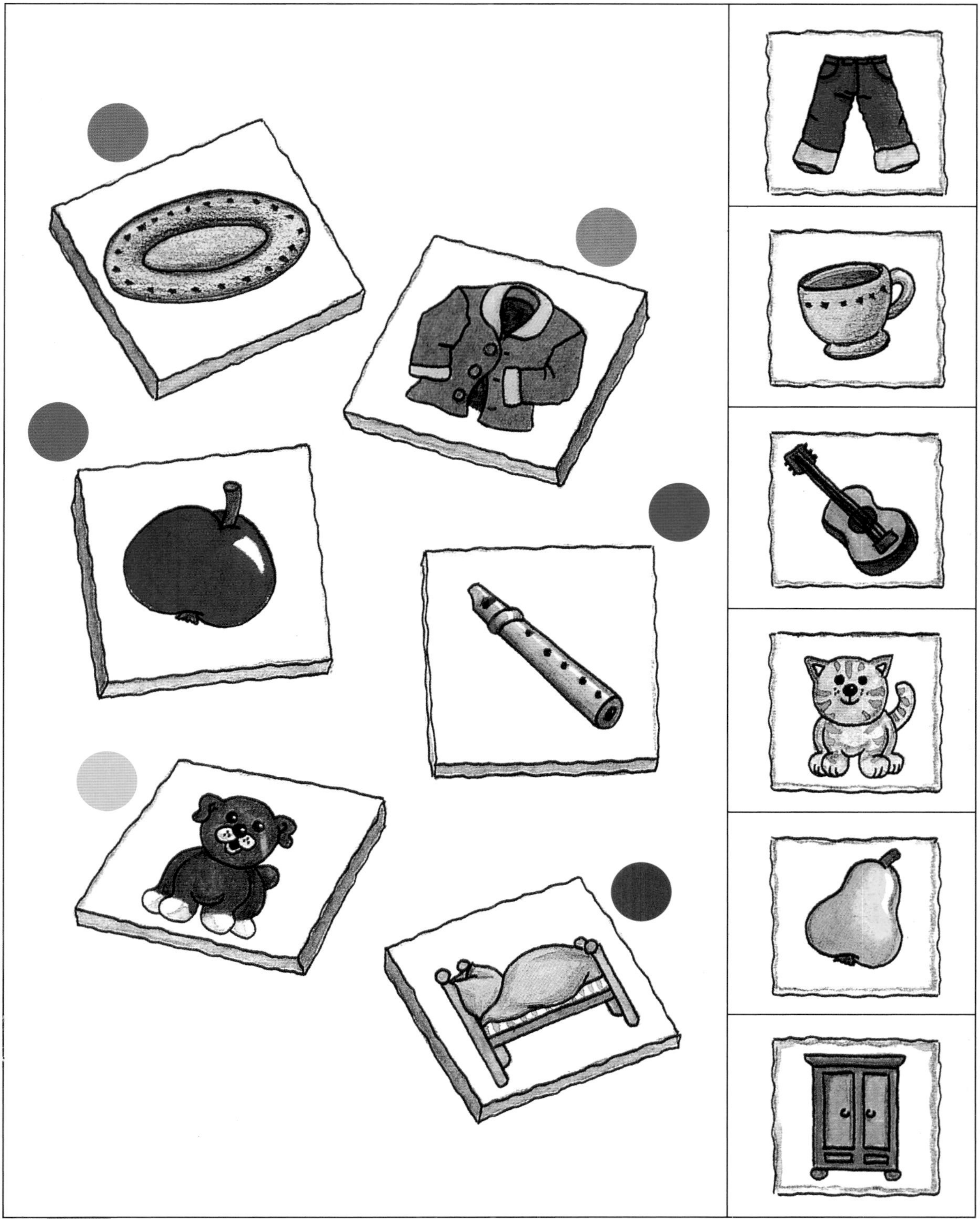

两列小火车在行驶，请你把小动物坐的车厢涂成蓝色，把布娃娃坐的车厢涂成红色。

2

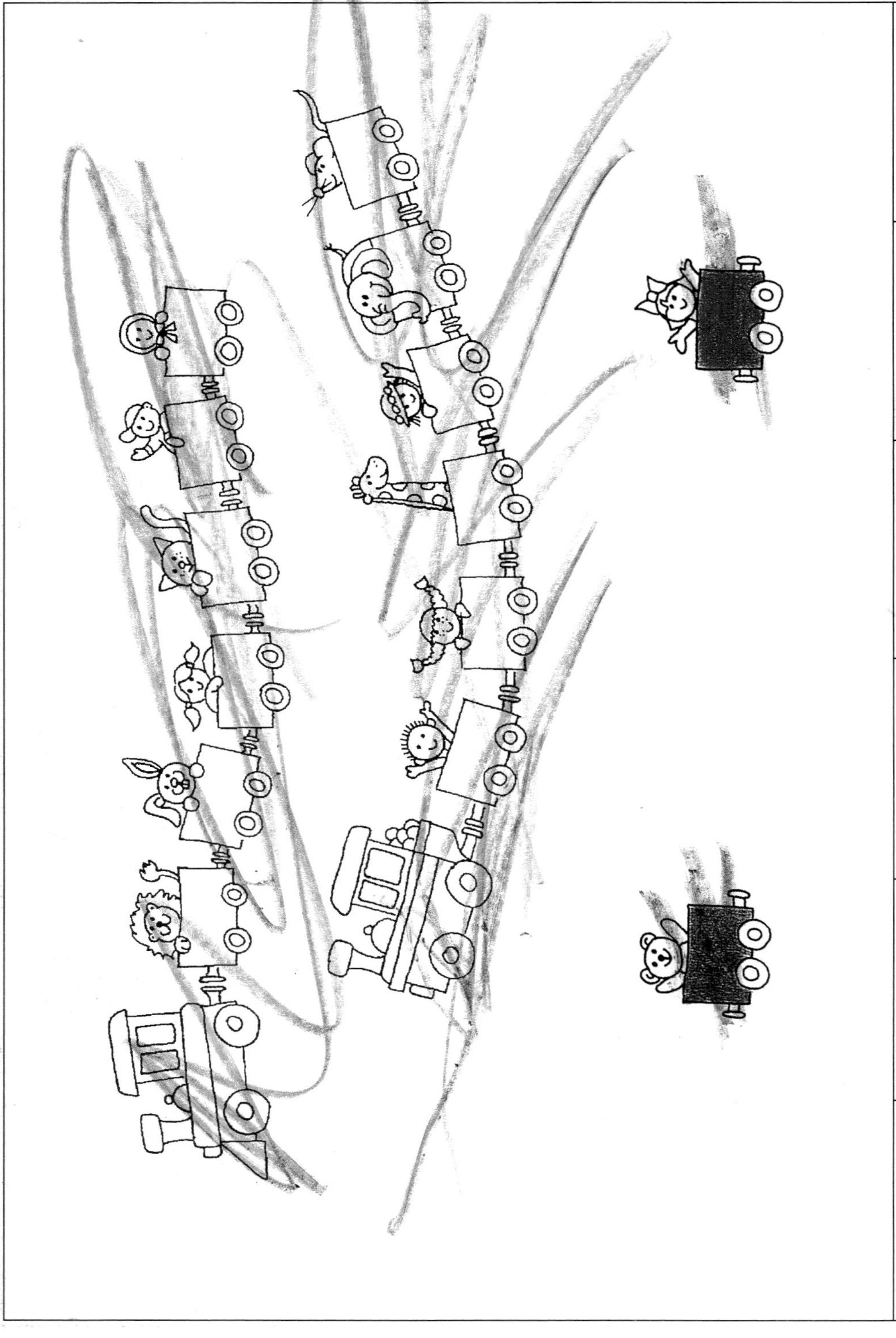

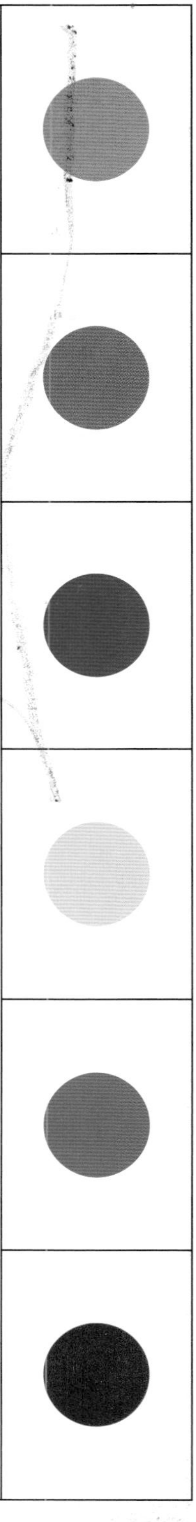

这些小朋友需要什么呢？请帮他们找出来。

图中有3个地方是错误的，请你找出来并说说为什么是错误的。

下面每幅图中还缺少什么？你能找出来吗？

仔细观察上面的房子，比较一下，其他房子缺少什么？把它们画出来。

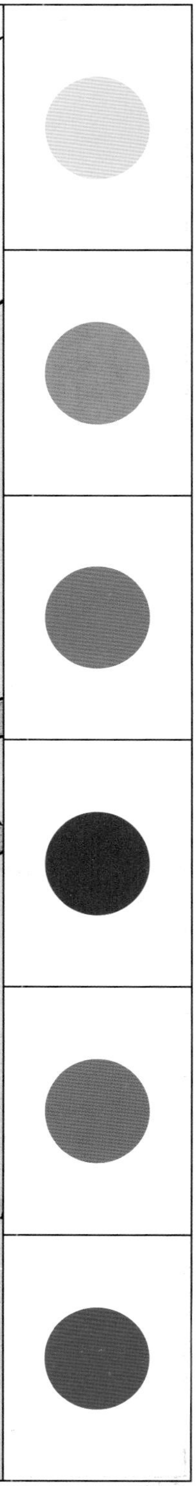

仔细观察毯子上的东西，看看下面的图画中都少了些什么？

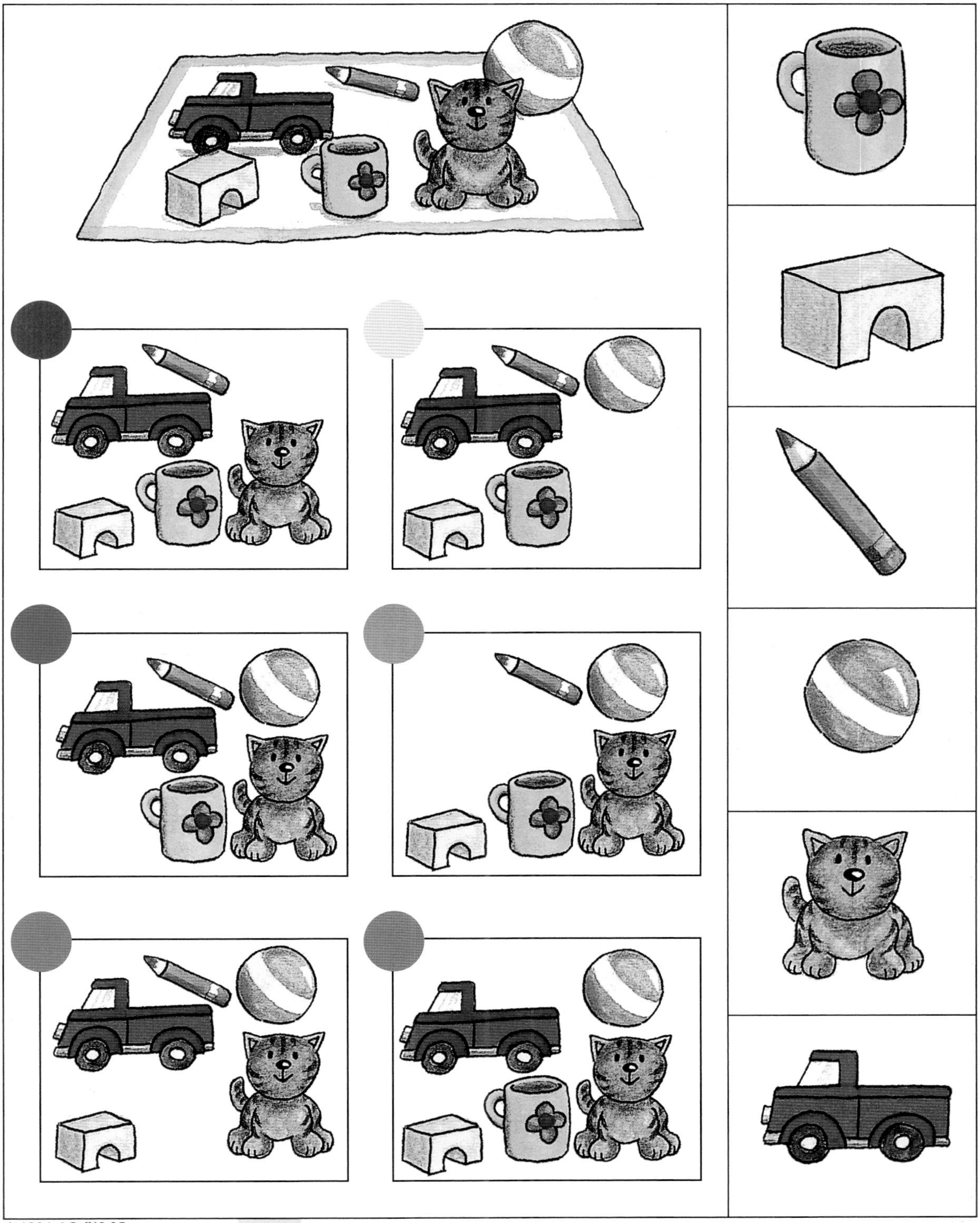

最上面的图中有些什么？其他的图中多了什么，请你把多的东西找出来。

5

小朋友正在画一幅漂亮的画，她每一次都多画了一样东西，你能找出来吗？

6

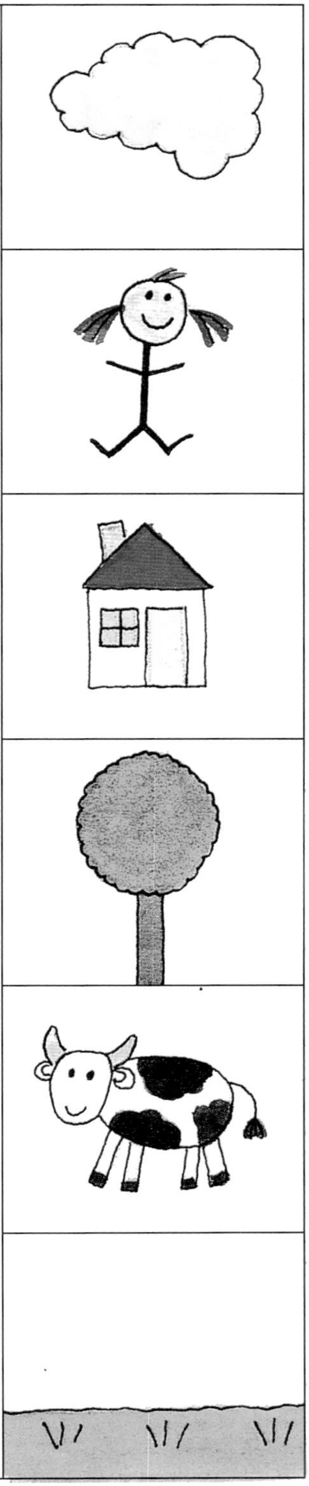

仔细观察这两幅图，其中有一幅图少了3样东西，请将它们画出来。

6

这些小朋友都急需一些东西，你知道是什么吗？

这个小朋友很想画画，但他必须找到绘画的工具，请帮他画出正确的路线。

小朋友有的在跳舞、有的在画画……仔细观察，哪些小朋友在做相同的事情？

这几个小朋友在做什么？你知道吗？请用连线表现出来。

小朋友在给铅笔、汽车和积木分类，你知道他们是怎么分的吗？

这里的鱼有一些是形状相同的，用线把形状相同的鱼连起来，看看剩下了哪条鱼。

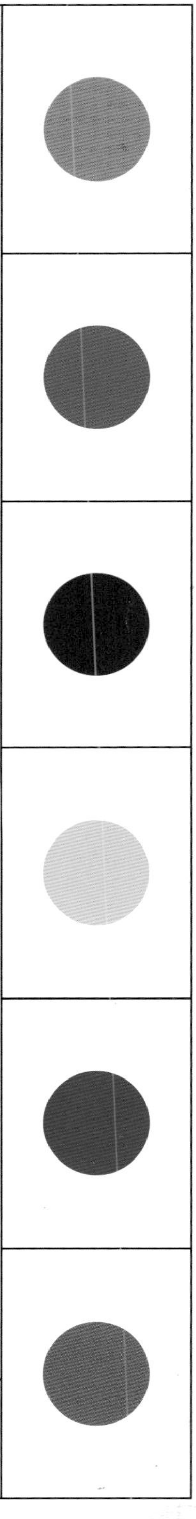

这些小朋友的表情都不一样，你能找出与右边小朋友相同的表情吗？ 11

你需要：一张厚纸、一把剪刀和一瓶胶水。
将条形和圆形都描到厚纸上，然后剪下来！
并将厚纸条卷起来粘贴好！

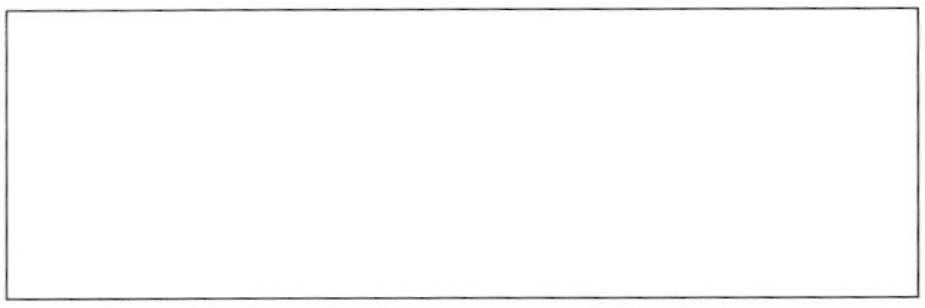

在剪好的圆纸片上画一张脸并粘到卷好的厚纸筒上。

如果有兴趣可以再做一个新的小娃娃。

小朋友是在什么时候、什么地方玩的呢？请找出相对应的画面。 **12**

什么时候？

什么地方？

这里有几幅漂亮的图画，请将太阳和月亮分别画在对应的图画上。 **12**

在帐篷的顶上、里边和旁边；床的上面、下面和旁边，你都看到了什么？请在右图中找出这些东西的对应位置。

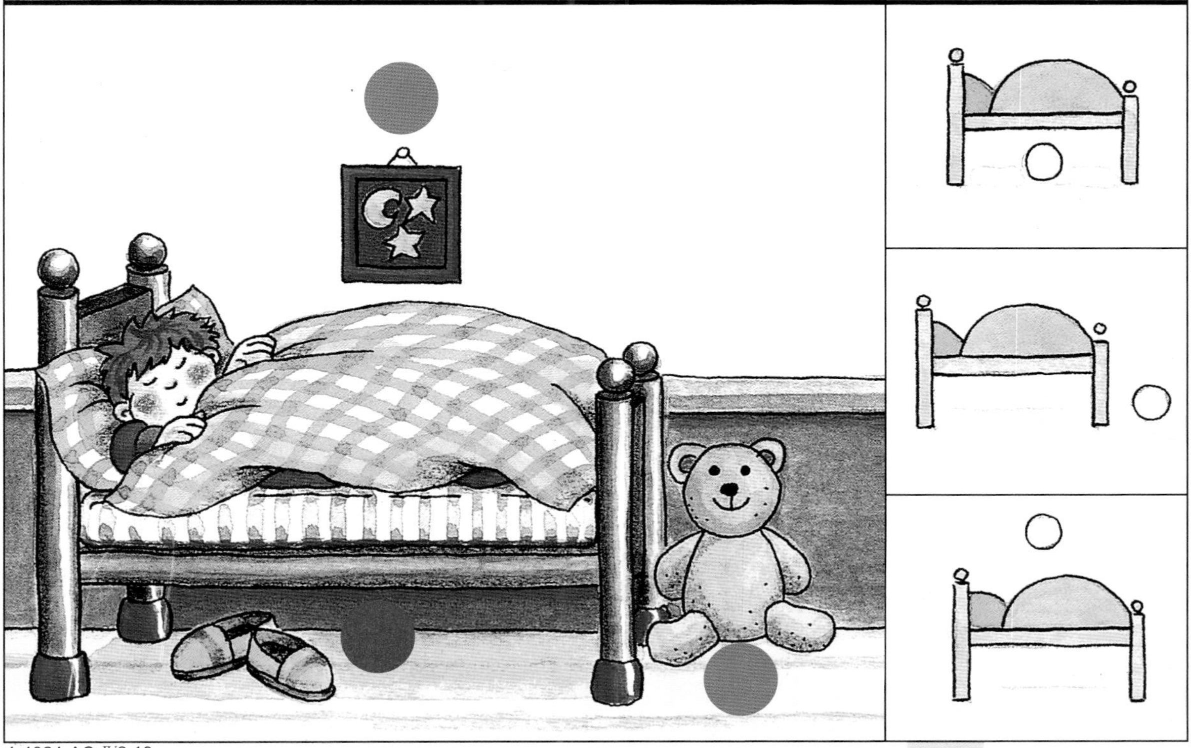

小老鼠在哪儿？里边、下边、上边还是旁边？请你把位置相同的两只老鼠用线连起来，再将右边一组卡片的边框涂上颜色。

13

坐在椅子前面，趴在椅子下面，站在椅子旁边……丽莎在做这些动作。请你找出相配的图画。

房间里有一些东西放错了，请你指出来，并给这幅画涂上颜色。

按照事情发展的顺序，找出每一排中缺少的图。 15

穿衣服是有顺序的，要一件一件地穿。
这位小朋友的衣服是怎样穿起来的呢？给她的衣服涂上正确的颜色。

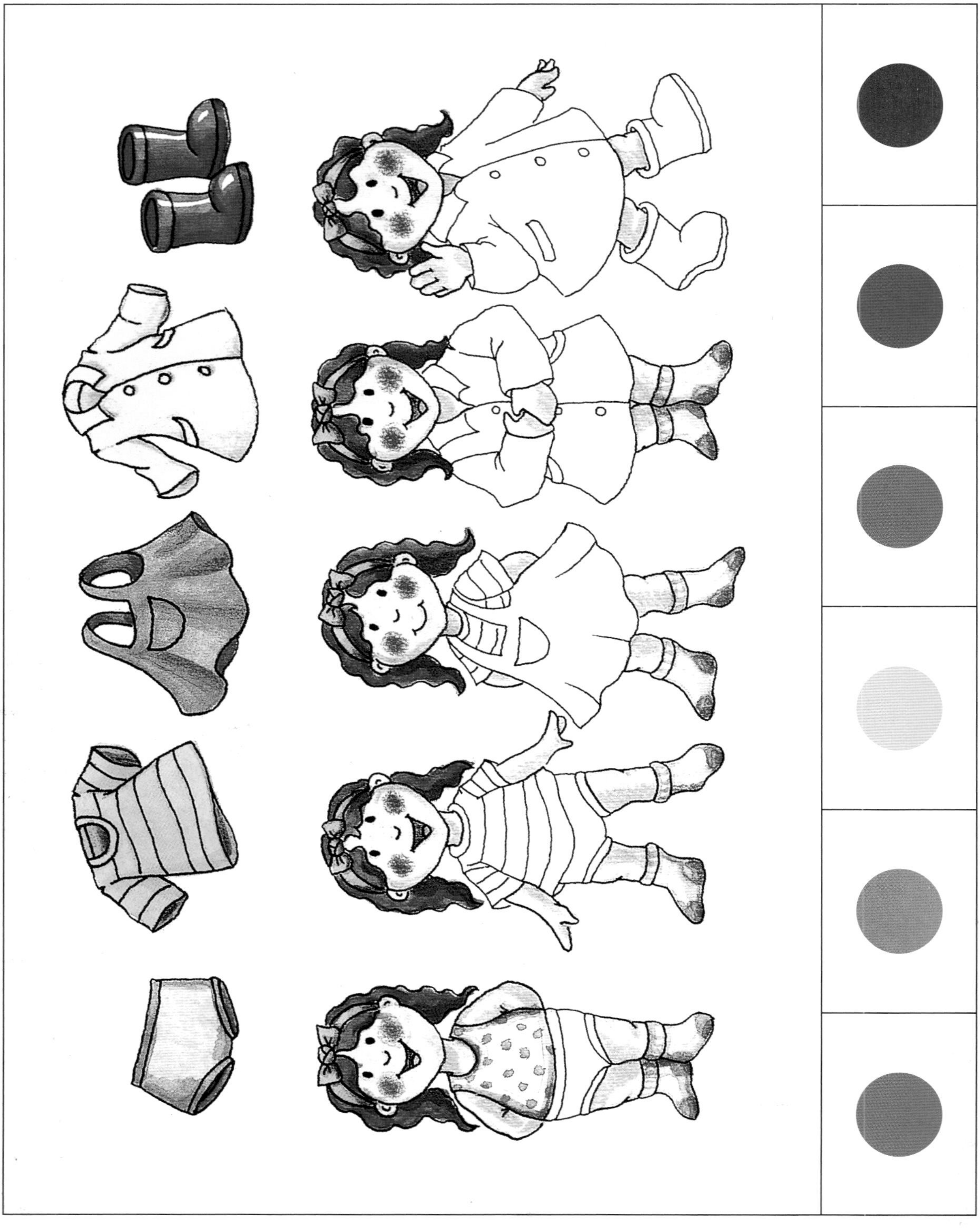

这两个小朋友是按什么顺序打扮的？请你将图片剪开，然后将它们按顺序整理好，并讲一讲每一幅图的意思。